劉福春・李怡 主編

民國文學珍稀文獻集成

第一輯

新詩舊集影印叢編　第44冊

【劉大白卷】

郵吻

上海：開明書店 1926 年 12 月版

劉大白 著

再造

上海：開明書店 1929 年 9 月版

劉大白 著

花木蘭文化出版社

國家圖書館出版品預行編目資料

郵吻／再造／劉大白 著 -- 初版 -- 新北市：花木蘭文化出版社，2016
〔民 105〕
116 面／234 面；19×26 公分
（民國文學珍稀文獻集成・第一輯・新詩舊集影印叢編 第 44 冊）
ISBN：978-986-404-622-5（套書精裝）
831.8 105002931

ISBN-978-986-404-622-5

9789864046225

民國文學珍稀文獻集成・第一輯・新詩舊集影印叢編（1-50 冊）

第 44 冊

郵吻
再造

著 者 劉大白
主 編 劉福春、李怡
企 劃 首都師範大學中國詩歌研究中心
北京師範大學民國歷史文化與文學研究中心
（臺灣）政治大學民國歷史文化與文學研究中心
總 編 輯 杜潔祥
副總編輯 楊嘉樂
編 輯 許郁翎
出 版 花木蘭文化出版社
社 長 高小娟
聯絡地址 235 新北市中和區中安街七二號十三樓
電話：02-2923-1455／傳真：02-2923-1452
網 址 http://www.huamulan.tw 信箱 hml 810518@gmail.com
印 刷 普羅文化出版廣告事業
初 版 2016 年 4 月
定 價 第一輯 1-50 冊（精裝）新台幣 120,000 元

郵吻

劉大白 著

開明書店（上海）一九二六年十二月出版。原書三十二開。

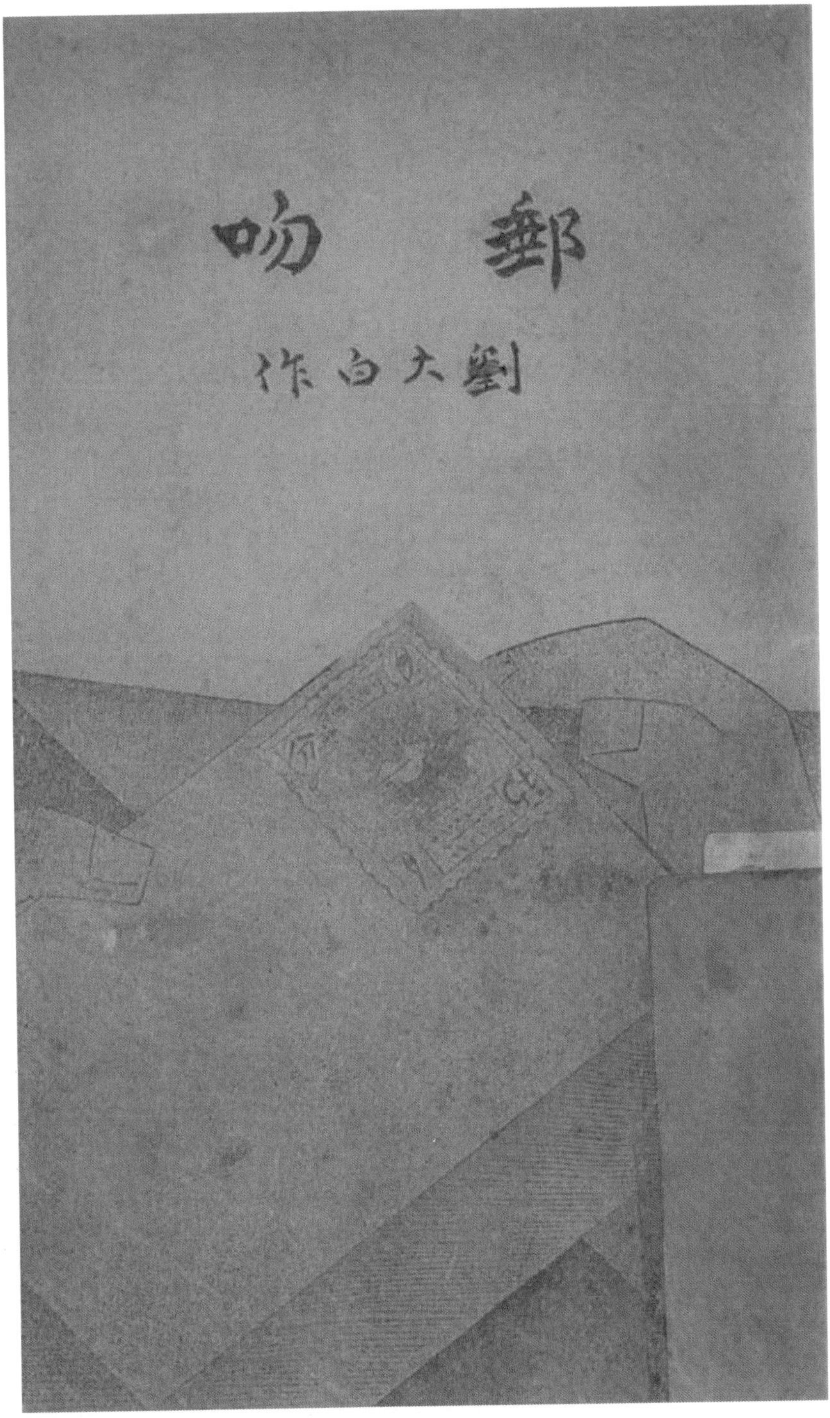
郵吻
劉大白作

黎明社叢書

郵吻

劉大白著

上海開明書店發行

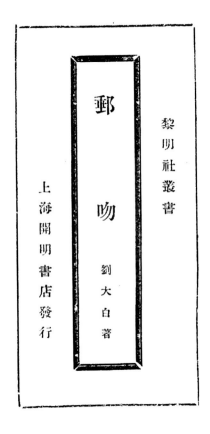

郵吻目次

郵吻付印自記……xiii
郵吻……1
記得……4
勇敢的淚軍……6
永生的心……7
我願……9
白馬湖之夜……11
淚珠……14
別鳳皇山……15
深秋晚眺……16

秋晚的江上……18
西風……19
黃葉……23
雙紅豆……25
偸聽……29
回頭來了的東風……32
燕底言語……34
賣花女……37
靜夜……41
惡夢……43
春寒……46
春風……48

〔X〕

網……50
寄影……52
別後之淚……54
雙笑……69
私語……84
眞面目……91
枯葉底嘆息……92
白紙底舞聲……95
湖濱晚眺……97
春去……99

郵吻付印自記

郵吻是舊夢以後一部分詩稿底結集；因著友朋們底慫恿，又把它付印了。其餘的一部分，合兩年以來的境遇有關的，至少，在現在不願意發表——也許將來成為遺稿，等人家來搜探整理；也許有一天把它們「拉雜摧燒之，摧燒之，當風揚其灰」；都未可知。

現在付印的一部分，我自己覺得，合舊夢時代也沒有什麼分別，是進步，是退步，我可以引了最普徧的題壁詩底後半來解嘲，就是；

有人來問我，

〔XIII〕

連我不得知。

*

我於郵吻付印以後，有一個禱祝，就是希望它不要踏舊夢底覆轍！（1）舊夢從付印到出版，經過了二十個月之久；比人類住在胎中的月數，加了一倍。這在忙著『教育商務』的書館中一定要等到趕印教科書之暇，才給你這些合『教育商務』無關的東西付印，差不多是天經地義，咱們當然不敢有異議；然而這樣地千呼萬喚始出來，到底覺得有點不爽利。（2）好容易出版了；而排印和裝釘之壞，差不多在我所見的該書館出版物之中，可以算是第一。字句底排錯，且不必說，最奇怪的是給你添上了許多字。這不知是手民底博雅呢？還是校對先生底聰明？至於裝釘，他們惜紙如金，一定要切得那麼狹，釘得那麼厚；以致排在偶數頁每一橫行最右邊的字，往往使讀者看不出來。咳！這可以說是眞眞遭劫！(3)還有一件趣事，也値得一說。該書館每逢有一書出版，照例在總發行所入口處掛一牌子；等到再有一部新書出版，才把先出的一塊書名牌挨上一肩。如此遞挨上去，直到最末一個位置上，才再由最新的書名牌一擠，把它擠出去。舊夢出版以後，他們自然照例掛牌。但是因爲橫行的緣故，書面上『舊夢』兩字，也是從左向右的橫排；不料寫牌子的先生，竟反其方向而讀之，把它寫作『夢舊』。出版不久，被我底朋友瞧見了，告訴他們說：

「這是『舊夢』，你們寫顚倒了，應該拿下來改正」！他們果然從諫如流，立刻把它拿下來了。不過只從了一半的諫，拿是拿下來了，改卻沒有改；從此這塊牌子就提前被淘汰了，不曾再掛上去。因此，此書出版數月，還有許多朋友們以爲不曾出版。並且有人知道出版了，到總發行所去買，他們還說只有『夢舊』，沒有舊夢，以致失望而回。這些都是舊夢出版以後所遭的不幸，我很希望郵吻不至於她姊姊似地也交這種魔苦運！不過我也可以預信郵吻不再像她姊姊底關煞重重；最重要的原因，是現在開明書店底老板，還不曾熱心於『教育商務』。

〔XVI〕

最後，我對於給我畫封面的怡怡先生和寫封面的玄廬先生，在此表示很誠摯的謝意！

一九二六年，十二月廿二日，大白在江灣復旦大學。

〔XVII〕

郵吻

我不是不能用指頭兒撕，
我不是不能用翦刀兒剖，
只是緩緩地
　輕輕地
很仔細地挑開了紫色的信唇；
我知道這信唇裏面，
藏著她祕密的一吻。

*

從她底很鄭重的摺疊裏，

〔1〕

我把那粉紅色的信箋，
很鄭重地展開了。
我把她很鄭重地寫的，
一字字一行行，
一行行一字字地
很鄭重地讀了。

*

我不是愛那一角模糊的郵印，
我不是愛那滿幅精緻的花紋，
只是緩緩地
輕輕地
很仔細地揭起那綠色的郵花；

〔2〕

我知道這郵花背後，
藏著她祕密的一吻。

一九二三，五，二，在紹興。

記得

可曾記得，
微微的雲翳，
淡淡的月痕，
疏疏的花影，
嗚嗚咽咽的洞簫聲？

*

今夜相思，
昨夜相思夢，
一聲聲地飛出簫脣指縫。

〔 4 〕

可惜除了微雲淡月疏花・
沒人能懂！

一九二三，五，三，在紹興。

勇敢的淚軍

兩隊勇敢的淚軍，
銳不可當地衝出淚城來了；
淚城以外，
輭輭的四扇郭門，
怎擋得住呵！

一九二三，五，九，在紹興。

〔6〕

永生的心

聚集了無數落花，
堆成了一座香塚，
這裏邊埋著一顆明珠也似的心兒。

*

心兒啊，
我願你深深地埋著，
從祕密的芬芳裏得到你底永生！

*

如果花瓣兒被踐踏了，

〔7〕

你也和花同腐嗎？——
不願吧。

＊

你可以吐出祕密的芬芳，
使花再發呢，
這是你永生的使命啊！

一九二三，五，二三，在紹興。

〔8〕

我願

我願把我金剛石也似的心兒，
琢成一百單八粒念珠，
用柔韌得精金也似的情絲串著，
掛在你雪白的頸上，
垂到你火熱的胸前，
我知道你將用你底右手掐著。

*

當你一心念我的時候，
念一聲『我愛』，

掐一粒念珠；
纏緜不絕地念著，
循環不斷地掐著，
我知道你將往生於我心裏的淨土。

一九二三，五，二三，在紹興。

〔10〕

白馬湖之夜

從蒼茫的夜色裏，
展開在我底面前了，
一幅畫也難肖的湖山。

*

明月懷疑了：
『這不是我團欒的影子呵』！
一叢散碎的銀光，
在縠紋也似的明漪中閃著。

*

怎地淬不滅呢？
水平綫下，
錯錯落落地浸著熊熊的烈焰，
摹仿那水平綫上的漁火。

*

如此湖山，
難得如此夜色，
更難得看湖山夜色的如此佳客！

*

偶然吧，
舊游重到的我，
過去也不曾看得，

〔12〕

未來也怕難再得。

一九二三，五，三一，在白馬湖。

淚珠

淚珠，
我願你是最後的一顆；
把未來的悲哀，
給我一齊揮盡了！

一九二三，六，五在紹興。

〔14〕

別鳳凰山

以秋光餞別我的鳳凰山說：
『我難道不值得勾留嗎』？
咳！我如果不願勾留，
我也不臨去幾回頭了！

一九二三，一〇，〇在衢前舟中。

〔15〕

深秋晚眺

夢也似的斜陽，
給隱隱的青山，
蒙起微般的面幕了，
嬌羞得很啊！

*

落葉比潮還急，
西風被埋寃了；
爲甚擁抱著疏林，
狂吻不休呢？

〔16〕

默默的晚秋，
告訴暮鴉說：
「別『歸呀！歸呀！』地催促呀！留也不久了」。

一九二三，一〇，二九，在紹興。

〔17〕

秋晚的江上

歸巢的鳥兒，
儘管是倦了，
還馱著斜陽回去。

*

雙翅一翻，
把斜陽掉在江上；
頭白的蘆葦，
也妝成一瞬的紅顏了。

一九二三，一〇，三〇，在紹興。

〔18〕

西風

一

西風，
你只能在人間放浪嗎？
假如我做了你，
就天上的銀河，
也吹起它壯闊的波瀾來。

二

我願化作一片秋雲，

讓明月睡在我底懷裏！
然而妒我的西風，
也許給吹散了，
待怎樣呢？

三

我想長起比風還快的雙翼，
把昨夜吹過去的西風，
給追回來，
請它看一看，
這飄零得憔悴可憐的黃葉！

〔20〕

四

我底悲思，
煙絲也似地在秋陰中裊著；
西風，
你與其把它吹亂了，
倒不如把它吹斷了！

五

難道一去不復還嗎？——
風不長西，
正和月不長虧一樣。

〔21〕

月兒再幾回回過臉兒來，
也就是西風回頭的時候了。

一九二三，一一，七，在紹興。

〔22〕

黃葉

和樹枝最親密的黃葉，
當它對伴侶告辭的時候，
微微地——
只是臨風的一聲嘆息。

*

黃葉鴐起善於嘆息的雙翼，
到處漂泊去了；
樹枝儘自搖頭，
也博不到它底回頭一顧。

〔23〕

一九二三，一二，九，在紹興。

〔24〕

雙紅豆

今年元旦，江陰周剛直君，贈我一雙紅豆。過了幾天，他又對我說：『此物是我故鄉鄉閒所產。老樹一株，死而復蘇；現在存活的，只有半株。有時不結子，有時結子僅十餘粒或百餘粒不等。如將此豆作種別栽，又苦不容易活；即活，也不容易長成；望它結子，更不知須等幾何年。所以此物頗不易得，實是珍品』。我細玩此物，顏色微紫，形狀頗類心房，古人以它爲相思底象徵，大約不是無故。近來和周君相別，已將匝月，睹物懷人，相思頗苦；因作雙紅豆三首，以代緘札。

一

歲朝初，一封書，珍重緘將兩粒珠，嘉名紅豆呼。

*

樹全枯，卻重蘇，生怕相思種子無，天教留半株。

〔26〕

其二

望江南，
樹影殘，
莫作尋常老樹看，
相思憑此傳！

*

體微圓，
色微殷，
星影霞光耀晚天，
離離紅可憐。

〔27〕

其三

豆一雙，
人一雙，
紅豆雙雙貯錦囊，
故人天一方。

*

似心房，
當心房，
偎著心房密密藏，
莫教離恨長！

一九二四，二，一，在紹興。

〔28〕

偷聽

當頭冷落的，
團團月輪，
倒地零亂的，
淡淡花影；
誰來踏月採花，
獨自向籬頭立定？

*

對酒當歌懷抱亂，
託它絲竹調停。

一縷吞吞吐吐的短笛聲，
迢迢遞遞地透出簾櫳，
逗得亭亭獨立的她，
都來偷聽。

*

她偷偷地聽。
偷聽她短笛聲停；
她更偷偷地聽，
偷聽她低低地彈，
彈出她心頭流露，
流露心頭的淪落恨。

*

待彈到四絃都斷，
她陡然心頭跳盪指頭停：
頓撩得月也頹唐，
花也顛倒；
不獨同調的她，
把她底牢騷聽懂了。

一九二四，二，一九，在紹興。

回頭來了的東風

果然回頭來了；
我原知道，
風不長西的呵！

*

何必醇酒呢？
如此東風，
儘足教人沈醉了！

*

說春光是東風送來的，

我不信呵！
它身上何曾帶得有一點春光？

*

別太看重它底使命了！
要開要謝，
都是花兒們自家底高興呵！

一九二四，三，四，在杭州。

燕底言語

『今年春太遲了？
還是咱們太早』？
這雙燕居然會人言語。

*

『都道江南風景好，
算微微綠了芳草，
也不値得顛頗飛舞。

『不過幾行枯樹蕭條，

〔34〕

把一片黃沙圍繞，
虧它此地也有人住！

*

『已是比春先到；
反正要營巢，
且權宜挑個東道主！

*

『屋外竹籬回遶，
籬邊流水環抱，
算這一家頗有佳趣』。

*

安巢恰好，

〔35〕

卻把梁下寄居人羞煞了：

『呀，怎地孤眠無伴侶』！

一九二四，三，二四，在江灣。

［36］

賣花女

一

春寒料峭，
女郎窈窕，
一聲叫破春城曉：
*
『花兒眞好，
價兒眞巧，
春光賤賣憑人要』！
*

〔37〕

東家嫌少，
西家嫌小，
樓頭嬌罵嫌遲了！

*

春風潦草，
花心懊惱，
明朝又嘆飄零早！

二

江南春早，
江南花好，
賣花聲裏春眠覺：

［38］

*

杏花紅了，
梨花白了，
街頭巷底聲聲叫。

*

濃妝也要，
淡妝也要，
金錢買得春多少。

*

買花人笑，
賣花人惱，
紅顏一例和春老！

一九二四，三，二八，在江灣。

〔40〕

靜夜

瞢騰，
夢裏魂飛無定，
有夢也何如醒！

*

一牎月色，
幾痕花影，
滿屋蕭寥四邊靜。

*

呀！幽淒無比，

〔41〕

黃也難成，
夢境也難比並。
　*
過了三更又四更，
遠遠鷄聲，
破它叫破淸境。

一九二四，三，二九，在江灣。

〔42〕

惡夢

惡夢，
用倒流的年光織成的惡夢，
藏在大腦壁積中的，
從摺疊而展開了。

*

張作天羅，
撒成地網，
不幸的我，
做了惡夢之神底俘虜。

[43]

*

遁逃吧，
奮起孱弱的精魂，
跳出了天羅地網，
果然別有世界。

*

這是一個大戈壁吧，
只有莽莽黃沙，
很憊賴地向我猛撲，
沙磧上絕無人跡。

*

心靈告訴我：

〔44〕

『這仍是一個惡夢哪；
人跡嗎？
似乎還在夢外』。

一九二四，三，三一，在江濱

春寒

玻璃磚也似的春寒，
壓扁了繭也似的夢兒，
從縣密而脆薄的繭囊中，
擠出個蓓騰的夢蛹兒來。

*

幸而夢繭中的餘溫，
把夢蛹兒熏得重蘇，
展起輭輭的翅兒鼓舞著，
春寒也禁不住溫存起來了。

〔46〕

一九二四，四，一，在江寧。

春風

春風記起來了，
無數的花兒等著開呢，
又該到人間走一回了。

*

先虎虎地狂吼了；
大地山河，
還不曾妝成錦繡呢。

*

花兒都是荏弱的；

太狂了呵，
這其間還費個斟酌吧！

一九二四，四，六，在江灣。

網

明知是網，
偏愛投將網裏去；
懵懂的魚兒，
也沒這樣蠢啊！

*

如果入網是甘心的，
出網時自然難免傷心了。
與其聽網外的哭聲，
何如聽網內的笑聲呢？

〔50〕

一九二四，四，九，在江灣。

〔51〕

寄影

月樣一輪圓，
明鏡當前，
教它留住影翩翩；
親手封來親手寄，
寄給她看。

*

相見本來難，
隔著關山，
寄將影去算團欒；

〔52〕

瘦了幾多憑細認，
別後容顏。

一九二四，五，一七，在江灣。

別後之淚

一

別後之淚，
沁透了一方雪白的紗巾。
留著吧，
洗去吧。——
啊，怎捨得洗去呵！

二

乾了；——

〔54〕

雖然乾了，
子子細細地看，
點點滴滴的淚痕，
分明都在哩！

三

乾了；——
啊，昨夜的乾了，
今朝的重新又溼了！
重重疊疊地溼溼乾乾，
淚痕也模糊得不分明了。

四

淚痕也模糊得不分明了，
重重疊疊地揮揮灑灑：
有些是臨行的，
有些是別後的，
淚痕也模糊得不分明了。

五

淚痕也模糊得不分明了，
重重疊疊地揮揮灑灑：
有些是夢中的．

〔56〕

有些是醒後的，
淚痕也模糊得不分明了。

六

淚痕也模糊得不分明了，
重重疊疊地揮揮灑灑：
有些是病裏的，
有些是平時的，
淚痕也模糊得不分明了。

七

酒淺不須斟，

〔57〕

樽前四行淚，
潑滿了花前一樽酒。
記得臨行時節，
淚痕酒痕都有。

八

冒雨歸來相見，
雨點淋漓滿面，
夢中憐我辛苦。
醒來滿面淋漓，
淚也何曾是雨！

〔58〕

九

天華著面，
病中多少煩惱，
藥汁也難澣濯。
虧它眼淚縱橫，
算徐徐洗得天華落。

十

怎捨得洗去呵！
這無數淚痕中，
包含著無數別意。——

啊，捨不得洗去，
倒不如寄去吧！

十一

妥妥貼貼地摺疊了，
緜緜密密地包裹了，
分付綠衣人：
『此信不尋常，
中有淚千行』！

十二

殷殷勤勤地送到了，

〔60〕

鄭鄭重重地展開了，
你看，
這一封沒字的書信，
抵得過宛轉纏綿的千言萬語！

十三

『悲歌可以當哭，
遠望可以當歸』，
古人也太無聊了！
縱使不能歸，
難道哭也不能嗎？

十四

我不用遠望當歸，
我不用悲歌當哭；
我而今用我底哭，
我而今用我底別後之淚，
來當我底歸了。

十五

你看，
我回來了，
這是我回來了。——

[62]

不，我底淚回來了，
我底別後之淚回來了！

十六

你看，
我底淚回來了，
我底別後之淚回來了。——
不，我回來了，
這也就是我回來了！

十七

我底身不能回來，

我底淚卻回來了。
我底淚回來了，
就是我底心回來了，
就是我底別後之心回來了。

十八

別後之心，
都化作別後之淚了，
都化作別後之淚而回來了。
請你從這別後之淚中，
認取我底別後之心吧！

〔64〕

十九

我知道我這無數的淚痕，
準會引出你無數的淚的，
準可以合你那無數的淚痕相比的。
別後之淚，
原不獨我有的呵！

二十

我知道你此後無數的淚，
準也會沁透了這一方淚巾的。
你的我的，

重重疊疊地揮揮灑灑，
淚痕更模糊得不分明了。

二十一

我知道你珍重這重重疊疊的淚痕，
包含著雙方的無數別意，
準也不捨得將它洗去吧。——
要洗去，
除非相見時。

二十二

我知道相見時喜心翻倒，

〔66〕

準又會將別淚化成喜淚呢。
那時候我的你的，
再一番重疊模糊，
算這淚巾上最後的結束了。

二十三

用喜淚結束了別後之淚，
用喜心結束了別後之心；
洗去吧，
別後之淚洗去了，
別後之心也洗去了！

二十四

洗去了別後之淚，
洗去了別後之心，
更願洗去了未來的別！
洗去了，
從雙笑聲中洗去了！

一九二四，六，六，在江灣。

〔68〕

雙笑

一

雙雙的笑靨，
在入門迎面，
這兩聲將發以前展開了：
『回來了』？
『回來了』！

二

在這兩聲中，

過去的離情，
當前的喜意，
早幷成四道噴泉，
從心窩裏奔竄到笑靨初開的眼底了。

三

兩聲未絕，
臂相抱了，
吻相接了，
雙雙的笑靨未收，
雙雙的熱淚先下了。

〔70〕

四

淚痕界破了笑靨了，
但笑靨依然是笑靨。
當前的喜意，
蓋過了過去的離情，
笑靨畢竟戰勝了淚痕了。

五

帶著淚的笑，
是把無限的酸辛作背景的。
從酸辛中襯出歡娛，

這雙雙的一笑，
便越覺得甜蜜了。

六

別後的夢中，
也曾有這麼的雙雙一笑，
也曾有這麼的吻兒相接，
也曾有這麼的臂兒相抱；
但那些畢竟是一個幻境呵。

七

雖然是夢中的幻境，

〔72〕

雖然是吻兒虛接，
雖然是臂兒空抱，
然而雙方的笑靨，
分明殘留於醒來以後呢。

八

這雙雙的一笑，
從雙方的夢裏，
到雙方的醒後；
從雙方的醒後，
到雙方的信裏。

九

從雙方的信裏，
相互地雙雙知道，
眞的嗎？
果然有這雙雙的一夢，
果然有這雙雙夢裏的雙雙一笑。

十

於是從信裏的雙雙一笑，
逗起了信外的雙雙一笑，
眞的呵，

夢中的幻境，
宛然是夢外的眞境了。

十一

然而經過這夢中夢外的雙笑，
相思越渴了，
離愁也越濃了；
雙雙的笑靨未收，
雙雙的熱淚先下了。

十二

這雙雙的熱淚，

〔75〕

似乎能解得渴渴的相思吧，
似乎能洗去濃濃的離愁吧；
然而不能呵，
淚痕畢竟戰勝了笑靨了。

十三

笑靨收了，
淚痕滿了，
夢中的幻笑。
夢外的眞笑，
合成無限的酸辛了。

〔76〕

十四

如今是眞的了，
果然這麼的雙雙一笑，
果然這麼的吻兒相接，
果然這麼的臂兒相抱，
如今是眞的了。

十五

然而安知不是幻境呢？
安知不依然是幻境呢？
夢中也是這麼呵。

眞的嗎，
這雙雙抱吻中的一笑？

十六

這雙雙抱吻中的一笑，
眞的吧。——
卽使不是眞的，
只消咱倆認它是眞的，
也就是眞的了。

十七

如今是眞的了，

〔78〕

吻果然在吻，
臂果然在臂，
笑果然在雙雙的靨，
淚痕果然界破了雙雙的笑靨了，

十八

這界破雙雙笑靨的淚痕，
是相見時喜心翻倒，
別淚化成喜淚的淚痕啊。
喜意離情底拼合，
作成了淚痕笑靨底並漬齊開。

〔79〕

十九

淚痕儘管界破了笑靨，
但笑靨依然是笑靨呵。
別後的淚巾上，
經這一番重疊模糊，
喜淚居然掩住了別淚了。

二十

用別後的淚巾，
拭去了喜淚，
便同時拭去了別淚；

〔80〕

但拭去的只是雙雙的淚痕，
雙雙的笑靨是拭不去的呵！

二十一

拭去了雙雙的淚痕，
淨留下雙雙的笑靨，
如今是眞的了。
雙雙的笑靨告訴咱們，
這不是夢中的幻笑了。

二十二

然而別後的淚巾上，

雖然喜淚掩住了別淚，
子子細細地看，
點點滴滴的淚痕，
分明都在哩。

二十三

從雙雙的笑靨裏，
雙雙地商量着：
洗去吧，
洗去這重疊模糊的淚痕吧，
從今也許不再將巾拭淚了。

〔82〕

二十四

不管它是喜淚別淚，
都從雙笑聲中洗去了，
還成了一方雪白的紗巾。
分付它謝絕了雙雙的淚痕，
映上了雙雙的笑靨！

一九二四，七，一五，在紹興。

私語

一

私語，
月也迴避了，
燈也瞞過了，
嚴密得很啊，
豈但夜半無人？

二

原不是祕密的，

何庸私語呢？
然而畢竟私語了，
許爲的謹愼些兒吧；——
不，許爲的甜蜜些兒吧！

三

果然，
私語底滋味，
再甜蜜沒有了；
然而在這甜蜜中，
也許包含著痛苦吧！

四

甜蜜的時候，
是最容易回憶那從前的痛苦的。
說到舊時心事，
從如今的私語裏，
重提起從前的私語了。

五

『記住，
海……海……海，
茫茫的大海，

〔86〕

雙雙地投下，
這是最後的歸宿』！

六

親親切切的，
淒淒楚楚的，
淚珠拌著的私語，
隔牆的雙耳，
浪費了偸聽的聰明了。

七

這是從前呵！

〔87〕

這從前，
依然在眼前；
這眼前，
何必話從前？

八

痛苦的土，
培著甜蜜的根芽，
開出甜蜜的花朵，
結成甜蜜的果子，
這果子果然甜蜜呵！

九

這甜蜜的果子裏，
包含著痛苦的核兒，
包含著痛苦的仁兒；
這核兒仁兒，
終究要回到痛苦的土裏去的。

十

不回到痛苦的土裏去，
哪來的未來的甜蜜呀？
從如今的私語裏，

重提起從前的痛苦，
重伏著未來的痛苦和甜蜜了。

一九二四，七，三〇，在紹興。

〔90〕

真面目

除非做了鏡中人，
把鏡外的我，
做了影子，
才能認識我底眞面目。

一九二四，一一，九，在江灣。

〔91〕

枯葉底嘆息

『索性連秋也去了，
這是多麼的不幸呵！
惜……惜……惜！
可惜……可惜……可惜』！
枯葉深深地嘆息著。

*

『溫煦的母親也似的春，
將去的時候，
把我從她底懷裏取出來，

〔92〕

交給熱烈的父親也似的夏，
這已經是很可惜了！

*

『熱烈的父親也似的夏，
將去的時候，
把我從馳底懷裏取出來，
交給涼薄的後母也似的秋，
這自然是更可惜了！

*

『然而秋雖然涼薄，
畢竟還把我抱在懷裏呢。
如今她也去了，

把我撇在冬底手上，
被這冷酷的凶徒打下來了。

*

『北風呵，
你告訴我吧！
我那溫煦的母親在哪里？
我索性跟著你去找回她來吧！
去……去……去』！

一九二四，一一，一六，在江灣。

〔94〕

白紙底鼾聲

面前一張白紙，
想寫下幾行黑字。

*

黑字在腦中迴旋，
白紙在桌上睡眠。

*

黑字底觔斗翻得越多，
白紙底鼾聲起得越大。

*

〔95〕

你聽見了不曾？
這便是白紙底歎聲。

一九二六，三，十，在江灣。

〔96〕

湖濱晚眺

林巒隱約平湖暮，
微波吐露東風語：
『明日是清明，
青山分外青』。

*

天邊星可數，
水底星無數；
回首望春城，
遶城千萬燈。

一九二六，四，四，在杭州。

〔98〕

春去

如此人間，
春也無心再住。
去去，
去向何處？
落花流水迷前路。

一九二六，五，五，在江灣。

一九二六年十一月付印
一九二六年十二月出版

郵吻

實價大洋五角

著者　劉大白
發行者　開明書店
印刷者　友文印刷所

黎明社叢書

發行所　開明書店　上海寶山路寶山里

再造

劉大白 著

開明書店（上海）一九二九年九月初版。原書三十二開。

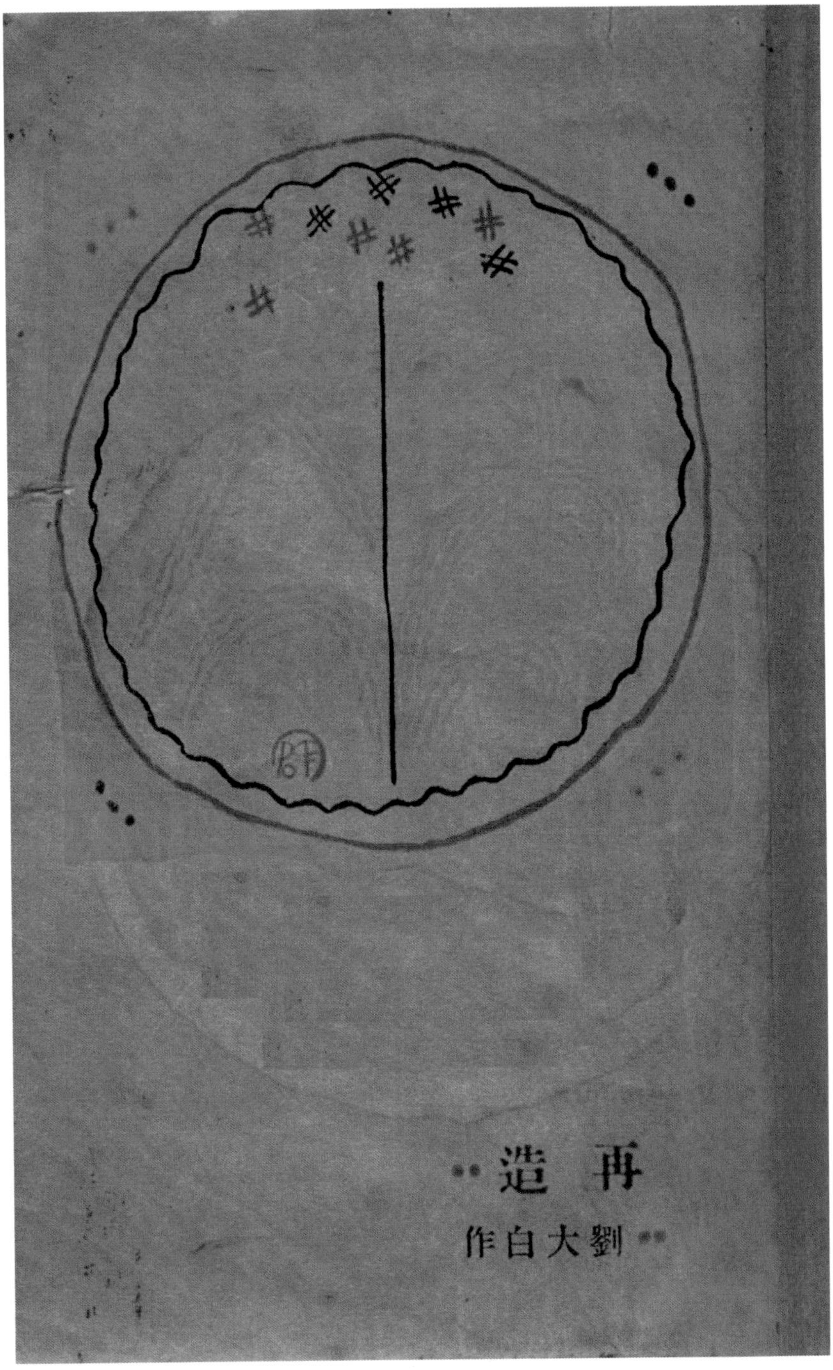
再造
劉大白作

再造

劉大白著

上海
開明書店

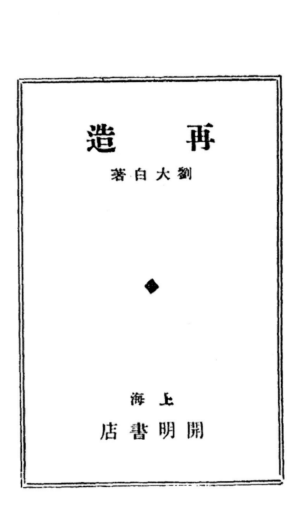

目錄

再造之羣六十二首……一
再造……二
陷阱……五
夢……七
未知的星……九
錢塘江上的一瞬……一二
愛底根和核……一五
愛……一七
罷了……一九

露底一生……………………二一
『一知半解』……………………二三
羅曼的我……………………二六
祕密之夜……………………二九
弔易白沙……………………三一
車中的一瞥……………………三三
月和相思……………………三五
湧金門外……………………三七
心裏的相思……………………四〇
題裸體女像……………………四二
自然底微笑……………………四五
無端的悲憤……………………四七

石下的松實……五一
秋意……五三
西湖的山水……五五
新秋雜感……五六
秋扇……五九
月兒又清減了……六一
哀樂……六三
鄰居的夫婦……六五
秋夜湖心獨坐……六七
爭光……七〇
國慶……七二
將來的人生……七五

明知——……七八
是誰把？……八〇
湖濱之夜……八二
地圖……八三
黃金(一)……八五
黃金(附)……八七
黃金(二)……八九
雪後隔江山……九一
代人祝母校新校舍落成……九二
旦晚……九四
壓歲錢……九六
春底消息……九八

〔vi〕

熱……一〇〇
春雨……一〇四
夢底交通……一〇五
遲了……一〇七
送F.T出嫁……一〇八
一閃……一一〇
心上的寫眞……一一二
我悔了……一一四
讀慰安……一一八
慰安(附)……一二四
桃花幾瓣……一二六
別後……一二八

春盡了……一三〇
別（一）……一三二
別（二）……一三四
她不該給我呵！……一三六
「不要倒霉」……一三八
想望……一四〇
謝夢中救我的女神……一四三
霞底謳歌……一四五
淚痕之羣一百四十一首……一四九
花間的露珠之羣十二首……二〇八
流螢之羣十首……二一七

再造之羣

再造

當羣花齊放的時候，司春的神，在花叢中徘徊著。忽聽得低低的讚歎聲道：『好呀！燦爛的美滿的花呀』！

司春的神，很滿意地微笑道：『這是我底創作呀！這是我選取自然之錦，用無痕之翦裁成，不離之膠黏住，萬變之色染出，百和之香薰透的呀』！

但不一會兒，就有切切的怨聲，從花間吐露道：『誰

〔2〕

鎖著我們呀？飛了吧』！一瓣的花，翩翩地飛了。

司春的神，不覺心痛道：『不聽命的花瓣兒，你破壞了我底完全了』！但又沒法兒招她回來，只是淒淒楚楚地悲泣著。

許多的花瓣兒，互相耳語道：『飛是我們底自由呀！春底完全，已經被破壞於飛了的一瓣了！我們何苦依然犧牲了自由，維持這不可久的殘局呀！愛自由的，飛呀』！一瓣，兩瓣，三瓣，……無數瓣，紛紛地一齊都飛了。

〔3〕

司春的神醒悟道：「飛是她們底自由呀！　但是創作也是我底自由，永久的完全，是不能有的；繼續的創作，是不可無的呀！　自然之錦，是取之不竭的；過一會兒，再造吧」！

＊

風聲，雨聲，流水聲，送盡了瓣瓣的落花。　一羣能歌的鳥兒，在綠陰裏唱著，慰勉那司春的神道：「再造！再造」！

一九二一，五，六，在杭州。

〔4〕

陷阱

橫在當前的，是甚麼呢？
寶窟呀？仙宮呀？陷阱呢？
閃閃的黃金之光呀？嬝嬝的美人之影呀？
險啊！你底被吸引的脚跟，被誘惑的眼睛，被搖動的
心旌！
努力啊！你從你底情慾裏——當前的陷阱裏，拯拔了
你底魂靈！
未知的淨土上的光明，正指示你以唯一的坦平的途

褓、

一九二一，五，三一，在杭州。

〔6〕

夢

爲甚麼在我這清虛的夢裏，
突然現出壯麗的瓊樓玉宇？
天外飛來似的，
你從你那被認爲眞實的塵境裏移來居住。
你怎地弄些狡猾的神通，
刹那間莊嚴了我這夢底國土？

爲甚麼你不肯長站在我醒時的面前，
卻愛常住在我夢中的眼底？

〔7〕

我是不慣獨居的我，
你是易惹相思的你。
難道我相思底磁力場，
只限於夢底領域裏？

*

假使我從我底相思裏解放了你，
你試想你將怎樣？
你將不能再在我夢裏徬徨；
我也將回復了我那夢底空曠。
但你既不肯長站在我醒時的面前，
我怎肯把你從相思裏解放？

一九二一，五，三一，在杭州。

〔8〕

未知的星

一顆未知的星，
正循著未知的軌道遊行；
環繞著未知的太陽，
反射出未知的光明。

*

假如這未知的星上，
也有些未知的人；
正窺著未知的望遠鏡，
推測那未知的天文。

那麽，他知道了已知的，
一定還有知道未知的希望；
而且他也知道已知的有限，
未知的卻是無量。

＊

他也許望著天空，
在那兒懸想：
這無量的未知的星中，
有一顆像我們這兒一樣。

＊

於是他從未知的愛裏，

〔10〕

放出未知的光；
經過無量的未知的空間，
到我們這一顆未知的星上。

一九二一，六，一，在杭州。

錢塘江上的一瞬

空中，拂拂的風，
江上，鱗鱗的浪。
風行，浪動，
岸來，船往。
兩岸南來船北往，
太陽西向人東向。

*

對著我的太陽，
從空中照向江上：

〔12〕

在風行浪動裏，
現出閃閃的萬點金光；
在岸來船往裏，
電影似地跟著人眼簾平移過去，
顯出一幅宇宙底遷流相。

*

從這遷流相裏，
截取它底一斷片；
被你們認識的人生，
就不過這麼一點一閃。
但這一點一閃，
卻也光怪陸離，萬化千變。

一九二一，六，二，在錢塘江舟中。

〔14〕

愛底根和核

貪婪的你，從我底懷中，取了愛去；——
不，從我底愛裏，投入你底心魂。
金剛石也似的你底心，被愛底烈焰燒熔了；
天鵝絨也似的你底魂，被愛底熱流浸透了。

燒熔了浸透了的，還是你底心魂嗎？
與其說是你底心魂，不如說是愛底成分。
沒有無根的愛，也沒有無核的愛；
我是愛底根呀！你是愛底核呀！

一九二一，六，四，在杭州。

〔16〕

愛

不曾見她，
愛在哪里？
剛見了她，
愛從何起？
既愛了她，
愛何曾還在我底心裏？

*

我在，
愛在；

沒她，
沒愛。
愛不在我心裏，
愛又何曾在我心外？

*

有？
無？
愛不從無生；
愛不依有住。
待燒得愛河枯，
從哪里下炬？

一九二一，六，一七，在杭州。

〔18〕

罷了

罷了，誰說沒有了愛？
沒愛，制度怎地存在？
沒愛，制度怎地破壞？

*

罷了，制度原是愛底建築；
愛原是制度底基礎。
是制度沈沒了眞正的愛？
是愛鑄造了錯誤的制度？

罷了，春來了！
驕陽下照，溫流上冒，
中間的一層冰，
不消融，也就崩倒！

一九二一，六，一七，在杭州。

〔A20〕

露底一生

幾滴的露；
有的在花心裏聚；
有的在花唇上吐：
是誰作主？

*

聚的沁入花鬚；
吐的潤下花趺：
就乾枯，
也和花同化花下土。

＊

不憑誰分付，
只是愛近花膚。
徼倖教花吸住，
到底在花懷抱裏，算這一生，不曾虛度！

一九二一，六，一七，在杭州。

〔22〕

『一知半解』

一年以前，我和幾位朋友們，曾經承一位二十年前極新的新人物，加以『學無本源，一知半解』的批評。當時我覺得『一知半解』四字，在我卻非常確當。所以現在倩一位同學刻了一方石章，作爲紀念；並寫了這首詩。

＊

本來不可知不可解的，
這無窮的世界。

況我這有限的人生，
又怎能知，怎能解？

*

知甚麼一？
解甚麼半？
憑何測量？
從何計算？

*

知解——可，
一半——能；
知一解半，
不幸的人生！

〔24〕

『一知半解』，
人生不幸！
『生爲考語，
死作墓銘』。

*

銘曰：
『太上無知無解；
其次不知不解；
「一知半解」，
下之下者』！

一九二一，六，一八，在杭州。

羅曼的我

也曾一口唾滅了日，
　吞沒了月，
　呵平了山，
　喝乾了海；
更雙手撩開了天幕，
　兩脚踢飛了地毯。

*

但這不過是一個打算，
——還沒成功的打算。

太狂了嗎？——
也罷，
我也曾篤春雁夜，
　燭底簫邊，
　濁酒清歌，
　淺斟低唱；
不許那花枝笑我，
　鏡影窺人。

＊

但這不過是一個夢境，
——似有若無的夢境。

〔27〕

枉自豪氣干霄，
　柔情沁石，
只贏得一聲羅曼！
羅曼嗎？——
不然呵，
怎值得過這橫鐐豎鎖的一生？

九二一，六，一八，在杭州。

〔28〕

祕密之夜

窺透了她底祕密了，
從偶然的微笑裏：
就是她平日不曾漏洩的，
縱使千言萬語；
也是我平日不曾領會的，
縱使千探萬問。

＊

這祕密原不是言語能宣露，
更不是探問能明白的；

就是微笑裏的窺透，
也只是有意無意的偶然。
偶然的微笑，
我感謝這祕密之夜底破曉。

一九二一，六，二〇，在杭州。

〔30〕

弔易白沙

這世界底一切——不可；
我以外，似乎一切都多。——
也許一切不多，
就多了一個——我！
不如讓一切存留，
只把這多了的我打破。

＊

不！
肉的，物質不滅；

靈的，流轉不絕：
超靈肉的，一切即我，我即一切。
打破嗎？——
又何曾了結？

*

是誰殺人？——
歷史；
端陽，靈均，湘流，自沈，
暗示。
生生死死，
『名下固無虛士』！

一九二一，六，二八，在杭州。

〔32〕

車中的一瞥

斜對著我的一扇車窗，
玻璃上有幾道皺痕。
火車開著，車窗搖著，
一閃一閃地把窗外的自然，移成電影：
近一點的樹，
展成幾摺的小團屏；
遠一點的山，
皺成幾疊的小波紋：
雲水城屋，

都不是平常形景。
請大家從這變的一隙裏，
經驗這動的一瞬！

一九二一，七，一，在滬杭車上。

〔34〕

月和相思

月兒說：『我慣在你們睡的時候醒著，你們當中，只
有不愛睡的，才配作我底伴侶。 親愛的伴侶們呀！
可愛的光明，怎地能入你們清醒之眼呀！ 我是不
吝惜的』。

*

相思說：『我是不愛睡的，也是慣借著你底光，逗起
人們底愛戀的。 但是我醒著的時候，差不多有一
半是你躲著的時候。 就是不躲著，向著人們的，
也很少是整個的臉兒，怎還說不吝惜呀』？

月兒說；『我不醒著，怎惹得起愛戀？我不躲著，怎惹得起相思？長露著整個的臉兒，怎惹得起愛戀的相思呀？就算是我底吝惜吧；沒我底吝惜，哪來的相思呀？相思呀，親愛的伴侶』！

＊

相思沈默而無聲了，月兒驕矜而自喜了。遠遠的一抹微雲，襯著幾點疏星，似乎在那兒微笑著，悄悄地私語說：『羞啊，月兒！憨啊，相思』！

一九二一，七，一〇，在杭州。

〔36〕

湧金門外

湧金門外，
西子湖邊：
楊柳陰中，
鞭絲帽影；
藕花香裏，
蓮顆蕁羮：
夕照西沈，
游人未散。

這是十幾年前的一囘雅集，
而今記起。

*

敗瓦頹垣，
荒堤茂草：
流民樹下，
削竹搏泥；
丐婦船頭，
爬螺摸蛤；
雷峯孤塔，
冷眼看人。

〔38〕

這是十幾年後的一度重來，
當初不曾料得。

*

從而今想像那記起的當初，
我也不堪回首！
問當初怎變了不曾料得的而今，
西湖也不忍開口！
回首也不堪，
開口也不忍，
只認取當前的雲散風流，星移月走！

一九二一，七，一一，在杭州。

心裏的相思

相思在你底眼底，
　你底耳際，——
不，只在你底心裏。

*

眼底，分明是纏綿的相思字；
耳際，分明是宛轉的相思調子；
但這不是相思。

*

說這不是，更何處有相思本體？

〔40〕

說這是的，又何曾表現得相思眞諦？
眞正的相思，卻只在離見離開的心地。

*

兩心深處，各築起一所相思寶殿，設起一個相思寶
座：
我寶座上坐著你，你寶座上坐著我；
只默默無言地相對坐，用甚麼音書唱和？

*

相思不曾有兩，你我居然兩雙；
咱倆底相思，造成心裏相思的他倆。
他倆咱倆，是一是兩？

一九二一，七，一三，在杭州。

題裸體女像

從空虛混沌裏，
有了要有的光；
這是骨中骨肉中肉的光體，
照著那獨居不好的亞當。

*

她是誰？——
女人夏娃。
是誰創造？——
神耶和華。

〔42〕

怎地是她底眞？——
赤條條地裸露。
怎地是她底善？——
純潔地無瑕，清白地不汚。
怎地是她底美？——
均勻地豐穠，繁複地屈曲。

*

不喫善惡樹上的果，
不用無花果樹底葉，
伊甸園中，
本是無遮的光明世界！

〔43〕

照著牠底形像造女，
這眞是上帝底作品；
將生氣吹在她鼻孔裏，
她就成了有靈的活人！

一九二一，七，一五，在杭州。

〔44〕

自然底微笑

隱隱的曙光一線，在黑沉沉的長夜裏，突然地破曉。
霎時烘成一抹錦也似的朝霞，彷彿沈睡初醒的孩兒，展開蘋果也似的雙頰，對著我微笑。

*

黃昏的一片淺藍天，一半被魚鱗似的白雲籠罩。冉冉地吐出一彎鉤也似的明月，彷彿含羞帶怯的新婦，只露出一些兒眼角眉梢，對著我微笑。

*

鏡也似的平湖，映著胭脂也似的落照。忽然幾拂輕

風，皺起紗也似的波紋，彷彿曲終舞罷的女郎，把
面罩籠著半嬌半倦的臉兒，對著我微笑。

一九二一，七，一八，在杭州。

無端的悲憤

鏡也似地平，
井也似地靜，
這樣的一顆心；
無端橫風怒掃，
逆浪奔騰，
湧起滿腔悲憤。

＊

爲甚？
悲也無因，

懀也無因；
赤裸裸的生平，
不曾抓甚麼私恩，
嘲甚麼隱恨。

*

除非花底聞歌，
酒邊看劍，
引逗得無始來癡難斷，嗔難忍。
但不慣尋花，
未能縱酒，
歌聲劍影，何曾有這前塵？

〔48〕

『放眼窺天地，
冥心數古今』，
算不多的幾個字曾經認；
錯教墮落作書生，
好容易幾生修到的庸庸福分，
被『斯文』兩字，抵折消除盡。

*

這寃情，
倒也值得悲憤，
倘前因後果果然眞。
懺悔也無從懺悔，
只除是虛空粉碎，

大地平沈！

一九二一，七，一九，在杭州。

[50]

石下的松實

一顆松樹，
落下許多松實；
不知何時，
被壓著一塊大石。
何曾沒有生機？——
只是橫遭抑塞！

*

憑它與鐵同堅，和山比重，
也難免苔鮮銷磨，冰霜剝蝕；

〔51〕

何況一齊向上，
有多少萌芽甲坼？
劃地一聲石破，
裂縫裏先迸出松苗千百。

*

努力呵，
別嫌路窄！
樹身撼動，樹根拱起，
把碎石次第排斥；
讓無數同根，
都化作長松百尺！

一九二一，八，二，在杭州。

「52」

秋意

蟲聲滿耳，
午眠剛起；
開襟當風，
認取一絲秋意。

*

秋意秋意，
來從風裏；
是秋底意，風底意？——
畢竟起從心地。

〔53〕

一九二一，八，九，在杭州。

［54］

西湖的山水

聯緜委宛的山，
妥貼溫存的水；
人說『怪不得西湖女兒顏色美』，
我說『怪不得西湖男兒骨也媚』。

一九二一，八，一一，在杭州。

新秋雜感

一片片，
一重重，
蓬蓬鬆鬆，
溼雲滿空。

*

幾潮雨，
幾潮風，
把薄薄的新涼做就，
更一分一分地加重。

〔56〕

雁不曾來，
燕還沒去，
卻添了幾個驚秋獨早的可憐蟲。
也非促織，
也非絡緯，
一味嗁風泣雨，和人唧唧噥噥。

*

果然怕冷，
爲甚不做一點兒工？
甘心做個寄生蟲，
也不用號寒怨凍。

一九二一，八，一六，在杭州。

〔58〕

秋扇

一陣秋風，
收拾起多少團扇。
團扇團扇，
你爲甚遭人棄捐？——
不爲你質不美麗，
　色不鮮妍；
只爲你嬌軀弱體，
不幸滿身皎潔被齊紈。

你看那些蒲葵蕉麥，
只是自甘卑賤；
就嚴冬，也還借重它一番努力，
煽起滿爐熱燄。
果然忍得苦，耐得勞，
怕甚麼秋風離間？
越名貴也越是無能，
且莫把秋風怨！

一九二一・八，一九，在杭州。

月兒又清減了

月兒，
你怎地又清減了許多了？
昨兒晚上，
不是還豐滿些嗎？

*

才挨昨夜，
又是今朝，
哪堪明日呢，——
你這樣一天比一天地消瘦？

〔61〕

一分一分地淸減了你底容光，
卻一分一分地增加了我底悲哀。
悲哀是增加了，
我底心卻被悲哀侵蝕乖盡了。……

一九二一，八，二七，在上海。

〔62〕

哀樂

一葉葉的西風，
擁著一翦翦芭蕉，
輕輕舞，
慢慢跳。
就這半晌纏綿，
也窺得透快樂底核心——苦惱。

×

——滴滴的秋蟲，
咽著一星星的涼露，

低低泣，
微微訴。
就這十分悽惻，
也認得到悲哀底緣起——歡娛。

*

要遣中年哀樂，
一任狂歌痛哭。
不過平添感慨，
陶寫怎憑絲竹？
除非肉長靈消，
卻也禁得起享受這塵濁凡猥的厚福。

一九二一，八，二九，在上海。

〔64〕

鄰居的夫婦

一邊鑼鼓聲中，
一雙新夫婦在那兒嫁——娶，
一邊拳脚聲中，
一雙舊夫婦在那兒打——哭；
難為他新新舊舊，冤冤親親，
熱鬧煞這『望衡對宇』！

*

冤是親底結果，
舊是新底前車。

新的成親，舊的成冤，
操縱都憑制度。
服從了制度底權威，
怎怪得『夫婦之道苦』！

一九二一，八，二九，在上海白爾路三益里。

〔66〕

秋夜湖心獨出

被秋光喚起，
孤舟獨出，
向湖心亭上憑欄坐。
到三更，無數遊船散了，
剩天心一月，
湖心一我。
此時此際，
密密相思，
此意更無人窺破；——

除是疏星幾點，
殘燈幾閃，
流螢幾顆。

*

驀地一聲簫，
挾露衝煙，
當頭飛墮。
打動心湖，
從湖心裏，
陡起一絲風，一翦波。
彷彿耳邊低叫，
道『深深心事，

〔68〕

要瞞人也瞞不過。
不信呵，
看明明如月，
照見你心中有她一個』。

一九二一，九，一六，在杭州。

〔69〕

爭光

只剩一抹斜陽了，
山呵，
你還攔住它做甚？

*

晚霞很驕矜地說：
『斜陽去了，
有我呢』！

*

『羞啊，

〔70〕

一瞬的絢爛罷哩』。
月兒在東方微笑了！

*

羣星密議道：
『讓她罷，
她也不能夜夜如此呵』！

*

但還有幾顆不服的說：
『誰甘心讓哪』！
依舊亮晶晶地和月兒爭光。

一九二一，九，一七，在杭州。

國慶

從零零落落的幾十面五色旗，
閃閃爍爍的幾百盞三色燈裏，
認識中華民國十年國慶。

*

「國且不國；
慶於何有」？
我也不說這些話來敗你們底興。

*

常常聽得說：

〔72〕

『全浙江三千多萬人』；
爲甚麼只有這幾十位工人和幾百位學生？

＊

誰隔開了空間劃成甚麼國界？
誰截斷了時間造出甚麼國慶？——
無非歷史上一時一地壯烈的犧牲。

＊

甚麼爲國爲民的犧牲，
何如爲世界爲人類的犧牲，
更來得烈烈轟轟？

＊

打破國因籠，

扭斷民．鐐銬，
做個世界人是何等光明？

*

要給全世界人類創造光明，
只有再伙著壯烈的犧牲，
別開途徑。

*

歷史底意義是過去的，
人生底意義是未來的，
從過去中求得未來的教訓是甚麼？——革命。

一九二一，一〇，一〇，在杭州。

〔74〕

將來的人生

不是從前，
不是現在，
人生只是將來。
從將來認取人生，
我們要斬斷葛藤似的從前，
我們要看破錦繡似的現在。

*

爲甚要斬斷從前？——
我們要進取將來。

讓從前擋住了將來，
誰忍受這般罣礙？

*

爲甚要看破現在？——
我們要創造將來。
爲現在斷送了將來，
誰肯做這般賣買？

*

顧戀從前的是從前底奴隸，
貪圖現在的是現在底犧牲。
粉碎了從前現在，
才露出前途無限的光明。

〔76〕

一九二一，一〇，二三，在杭州。

〔77〕

明知——

明知今夜月如鉤，
怕倚樓頭，
卻立湖頭。

*

湖心月影正沈浮，
算不擡頭，
總要低頭。

*

不如歸去獨登樓，

〔78〕

夢做因頭，
恨數從頭。

*

胸中容得幾多愁，
塡滿心頭，
擠上眉頭。

一九二二，一一，二，在杭州。

是誰把？

是誰把心裏相思，
種成紅豆？
待我來碾豆成塵，
看還有相思沒有？

*

是誰把空中明月，
捻得如鉤？
待我來搏鉤作鏡，
看永久團圓能否？

〔80〕

一九二一，一一，九，在杭州。

湖濱之夜

露重風嚴可奈何，
半規明月兒西蹉；——
夜深長抱西湖臥，
不及青山福分多！

一九二一，一一，九，在杭州。

〔82〕

地圖

『小弟弟，
我送你一幅地圖』。
『爲甚麼花花綠綠？
誰在這上頭亂塗』？
『不是亂塗，
這是標明各國底領土』。
『甚麼領土，
還不是大家有分大家住？
換一下吧，

難道沒有乾乾淨淨的一幅」？
「現在沒有，
將來或許……」。
「幾時才沒有顏色了？
我不愛瞧這些花花綠綠」！

一九二一，一二，六，在杭州。

〔84〕

黃金（一）

赤裸裸的人和人，
有甚麼寃親友敵？——
地不幸出產黃金，
人不幸產在出產黃金的地！

*

黃金鑄就了人和人間底鎖鍊，
黃金又壘起了人和人間底障壁。
寃和敵不過是黃金底隔離，
親和友也不過是黃金底關係！

＊

人嫌黃金少，
我厭黃金多。
要不磨滅了燦爛的黃金，
怎顯得出人生赤裸裸？

一九二一，一二，六，在杭州。

黃金(附)

——讀黃金贈吾友大白先生——

平沙

甚麼冤親友敵，
怎都是黃金底關係？
那麼，你有黃金給我嗎？
我又有黃金給你？

*

我不否認你黃金是『人和人間底鎖練』，
但你又怎能使我肯定它是『人和人間底障壁』呢？
我們親眼看見了這著紅裙的觀音面前的童男女，你怎叫人專憶那鍍金的韋陀呢？
人間倘只有那韋陀，
那更有誰知道『人生底赤裸裸』？

〔88〕

黃　金（二）

——寄吾友平沙先生——

你不否認黃金是人和人間底鎖鍊，
怎能不肯定黃金是人和人間底障壁？
障壁底隔離，
正因爲有鎖鍊底牽繫。

*

鎖鍊牽得越牢，
障壁隔得越厚。
不但隔離了寃和敵，

同時隔離了親和友。

*

鎖練障壁，
原是一件東西。
從黃金陣外覷定了黃金陣裏的人們，
眼光怎回到陣外的人們中的我和你？

*

靈就算跳出黃金陣外，
肉又怎免得拖泥帶水？
誰不知道有赤裸裸的人生，
只當前橫梗著黃金底魔鬼！

一九二一，一二，一五，在杭州。

〔90〕

雪後隔江山

斜日裏隔江多少亂山蒙雪，
似霓裳羽衣，無數羣仙高會；
離離合合的神光黯絕，
數甚麼人間粉黛！

一九二二，一二，一，在杭州江干。

代人祝母校新校舍落成

——代孝豐縣立高小校畢業生俞錦堂，周其庠作——

秋分近了，
一雙雛燕辭巢；
臨去回頭，
依依不忍舊巢拋。

*

記得辛勤卵翼，
個中老燕將雛抱；
記得呢喃學語，

〔92〕

個中老燕將雛教；
記得圍繞翻飛，
我輩於中長羽毛：
去了——別了，
怎免得幾回眷戀幾魂銷！

*

老燕啣泥，更添新壘，
而今聞道；
夕陽影裏，晝梁重認，
好待春來重到！

一九二一，一二，一九，在杭州。

旦晚

日落處——一線，
在西面天邊。
這邊是晚，那邊是旦，
只差那麼一線。

*

趕上去，越過這一線吧，
這一線卻跟著腳跟兒更遠。
晚呵，
你為甚儘排擠那光明的旦？

*

前路沒遮攔、
且也何曾怕晚？
繞個圈兒，
早又在東面天邊出現。

一九二二，一，二六，在衡山。

壓歲錢

壓得歲住嗎，
這區區幾個錢？——
怎奈它流水似的華年，
縱使千千萬萬？

＊

金錢慣買空閒，
但怎買得時間？
沒法留住現在，
何況使將來不變從前？

〔96〕

*

只爭二十七日，
今朝又是年關。
愛守舊的，
也畢竟要過新年。

*

說甚麼舊習慣，
取巧吧，算能把新年賒欠。
但你們底生命中，
何曾有一節的緜延？

一九二二，一，二七，在蕭山。

春底消息

梅花告訴我：
『春光準備了——
來。
她已經啓程了，
我是啣著先傳消息的使命的』。

*

但是夜來西北風狂似虎，
吹得雨珠兒都凍成了被子，
烈烈獵獵地催著雪花下降，

〔98〕

擋著春光底駕呢。
她底行期，
也許暫緩吧！

*

梅花說：
『擋不住的，
她是不怕冷的哪！
不信呵，
我怎地在嚴寒中放了呢』？

一九二二，一，三一，在濟山。

熱

熱，熱，熱，
七十五——六度了。
北緯三十度零的地方，
立春後一星期的天氣。

*

月上了，
昏騰騰的；
雲合了，
陰沈沈的；

〔100〕

雨下了，
沙沙的；
風起了，
獵獵的；
雷動了，
碚碚的；
電閃了，
熤熤的：
一霎時的事。

*

呵，月又出了；
雲又散了；

雨還飛著；
風還扇著；
雷還轟著；
電還掣著；
一霎時的事。

＊

三更後，
狂呼猛吼，
非常的大風：
樹拔了；
屋倒了；
船翻了；

〔102〕

一霎時的事。

*

這一霎時，
爲甚麽有這許多變動呢？——
別忘了，
熱，熱，熱。

一九二二，二，一〇，在蔣山。

春雨

從何處搜輯了無數淚珠兒，
灑作連緜春雨。
算讓它沁透了大地，
潑滅了地心火，
認春痕更從何處？

一九二二，二，一四，在蕭山。

〔104〕

夢底交通

誰鎖了我底夢門呢，
不讓我進去？
好容易進去了，
我底她又被隔絕在外面了。

*

猜著了，
她也正在她底夢裏呢。
我出了我底夢，
也進她底夢裏去吧！

出了我底夢，
就不能再進她底夢裏去了。
誰鎖了她底夢門呢，
不讓我進去？

*

除了夢裏，
沒有兩夢交通的路。
與其從夢外尋夢裏的她，
何如從夢裏尋有她的夢！

一九二三，二，二〇，在杭州。

〔106〕

遲了

『這就是……
快看』！
呵！遲了！
等你們趕上來，
只見了牠底背，
不能見牠底面了！

一九二二，三，一一，在杭州。

送F・T出嫁

花開花謝，
爲甚要蝶鬧蜂忙？
難道花心沒主張？
只是驅蜂逬蝶，
多事有春皇。

*

愛神盤旋天上，
正齊張雙翼迴翔；
弓只空拉，

箭也何曾放？
是愛神手軟？
是小兒女怕難禁受，東躲西藏？

*

文彩輝煌，
分明一對鴛鴦，
夢中游戲小池塘；
怎禁得愛河潮上，
前路波濤壯！

一九二二，三，一五，在蕭山。

一閃

要認取斜陽最後的生命，
在鴉頭燕尾開的一閃；
要認取朝露最後的生命，
在花梢葉杪開的一閃！

＊

人生也不過這麼一閃嗎？——
斜陽朝露，
還有明朝，
人生底明朝呢？

〔110〕

一九二二，三，一七，在白馬湖。

心上的寫眞

從低吟裏，
短歌離了她底兩脣，
飛行到我底耳際。
但耳際不曾休止，
畢竟顫動了我底心紘。

*

從瞥見裏，
微笑辭了她底雙頰，
飛行到我底眼底。

[112]

但眼底不曾停留，
畢竟閃動了我底心鏡。

*

心絃上短歌之聲底寫眞，
常常從掩耳時複奏了；
心鏡上微笑之影底寫眞，
常常從合眼時重現了。

一九二二，三，二一，在白馬湖。

我悔了

我悔了！
在田間散步的途中，
我折了一朵小小的豆花，
一朵紅紫相間的可愛的豆花。
但從她底根上，
到我底手中時，
不過幾秒鐘；
咳！變了！
她已經開始憔悴了！

〔114〕

我悔了！
她已經憔悴了！
我悔了！
我縮短了她底生命，
　減少了她底美的生活了！
我缺陷了全自然界美底一角了！
我破壞了全自然界整個的美了！

*

我悔了！
她已經憔悴了！
我悔也無益了！

〔115〕

我不能繼續她底生命，
　延長她底美的生活了！
我不能補足全自然界美底一角了！
我不能完成全自然界整個的美了！

＊

我悔了！
她已經憔悴了！
這是莫大的罪惡，
　不可挽回的罪惡呵！
我悔了！——但也許無庸再悔了！
我由憔悴的她而得到新教訓了！
我知道愛底占領，

〔116〕

就是愛底戕賊了！

＊

呵！占領的愛呵！
　戕賊的愛呵！
不獨被愛者不能堪，
愛者尤其不能堪呵！

一九二二，三，二一，在白馬湖。

讀慰安

慰安：
一字字，
一行行，
都是淚；
一字字，
一行行，
都是悔；
一字字，
一行行，

〔118〕

都是愛！

*

潛藏了三十多年的愛種，
萌芽了二十多月的愛苗，
縱然禁得春寒，
也難免幾分憔悴！
幸這番淚泉灌溉，
悔壞栽培，
怕不將來刼後花開，
花裏靈光，照徹世間世外；

*

要聰明，

才創造得愛；
成功也，
何曾敗？
要英雄，
才擔當得悔；
進步也，
何曾退？
要精誠，
才衝動得淚；
決心也，
何曾餒？

〔120〕

生平歷史多珍怪，
數縱橫危灘惡礁，
駭浪驚濤，
層疊波瀾生命海。
任半生百折千磨，
百難千災，
慣從一重重逆境中，
開闢出一重重奇境，
前途總有光明在。
年來神風橫引，
幾度離離合合，
早認取方丈蓬萊：

而今重洋飛渡，
　到彼岸別開生面，
愛世界是無遮無礙。

＊

我謳歌淚，
　淚也——
化作明珠，把黑暗排；
我謳歌悔，
　悔也——
築起高墳，把罪惡埋；
我謳歌愛，
　愛也——

〔122〕

摶成白日，把星辰代！
淚中是常新的現在，
悔中是有限的過去，
愛中是無窮的將來。
讀慰安者，
也無從安慰；
作慰安者，
也無庸安慰：
好在塡平缺陷，
恢復瘡痍，
你自有生命流中，新潮澎湃！

一九二二，三，二四，在白馬湖。

慰安（附）

玄廬

——謝楚偷先生底詩，很工黯文先生底信——

風雪關山，車輪帆影，往事從頭細數：
準備淚珠三萬斛，櫻桃花下檢情書；
只零箋剩墨，遺失了些，殘缺了些，比春魂濃淡何如？
是胸中一幅愛情圖：
要不展開時，心樂裏鏦鏦錚錚絕命詞；——
若說展開時，紛紛碎碎亂雲鋪！
友來慰我，

正不知慰她的人有也無？
待抖擻全神，把凡猥的情天改造過！

一九二二，三，一二，衙前。

桃花幾瓣

廝煞東風作主，
春泥也分得桃花幾瓣，
春水也分得桃花幾瓣。

*

怎禁得流落江湖，
浪翻潮捲？
春水無情，
忒送得桃花遠！

看春泥手段，
把桃花爛了，
護住桃根，
等明年重爛漫！

*

替桃花埋怨東風，
何苦讓春水平分一半！
就一齊化作春泥，
薄命也還情願！

一九二二，三，二七，在白馬湖。

別後

日也太短，
人也太遠；
不夠相思，
何妨一日十三時？

*

月也太遲；
心也太癡；
團圞誤算，
錯把下弦當月滿！

〔128〕

一九二二，四，一九，在杭州。

春盡了

算三春盡了，
總應該留得春痕多少；
曉來檢點，
竟全被那細而微風送掉！——
不留也罷，
卻拋下一團煩惱！

＊

記得春深花好，
花是雙開，

〔130〕

人是雙歡笑。
到而今，
落花飛盡春無影，
只離愁塡滿看花人懷抱！
果然喚得春囘，
第一教她，
帶了相思重上道，

一九二三，五，五，五，在杭州。

〔131〕

別（一）

月團圞，
人邂逅：
月似當年，
人似當年否？
往事心頭潮八九。
怕到三更，
早到三更後。

＊

夢剛成，

〔132〕

醒卻陡；
昨夜惺忪；
今夜惺忪又。
病裏春歸人別久，
不爲相思，
也爲相思瘦。

一九二二，五，五，在杭州。

別（二）

寄相思，
憑一紙：
只要平安，——
只要平安字。
隔日約她通一次，
信到何曾，——
信到何曾是！
＊
訂歸期，

(134)

還在耳：
也許初三，——
也許初三四。
未必魂歸無個事，
是夢何妨，——
是夢何妨試！

一九二二，六，三，在白馬湖。

她不該給我呵！

我能一無所有，
才能無所不有；
如果一有所無，
就難保所有不無了。

*

我把我所有的，
都給了她吧；
我，
也給了她吧！

〔136〕

她給我甚麼呢？

＊

她不給我，
我就無所有了；
她給我，
我就有所無了！
她不該給我呵！

一九二二，五，八，在杭州。

「不要倒霉」

「不要倒霉」嗎？——
我已經倒盡了霉了，
我哪里有霉給人倒呢？
我已經被霉倒盡了，
我哪里敢給人倒霉呢？

*

有霉給人倒的，
只有黃金；
敢給人倒霉的，

〔138〕

也只有黃金。
「不要倒霉」，
誰要倒霉呵！

現在社會制度之下，誰也不是不倒霉的。偏有些怕倒霉的，向倒霉的找霉倒，還說「不要倒霉」。「咳，不要倒霉」，別長跪在黃金之神底面前罷！

一九二三，五，二三，在蕭山衙前白屋。

〔139〕

想望

默默地想，
我只是默默地想。
想些甚麼？——
我不曾在心上記賬。
我明知想也無益，
但不想又將怎樣？
怎樣，怎樣，
默默地想，
我只是默默地想。

巴巴地望，
我只是巴巴地望，
望些甚麼？——
我不曾在眼上照相。
我明知望也無益，
但不望又將怎樣？
怎樣，怎樣，
巴巴地望。
我只是巴巴地望。

*

想也不是妄，

望也不是枉。
只有默默地想，
　巴巴地望，
才作成人生底向上。

一九二三，五，二三，在廬山。

〔142〕

謝夢中救我的女神

昨夜夢中，
無端地遭人搜捕：
幾回逃匿，
幾度逃亡，
竟到了被逼自殺的最後。
其間累次救我出險的，
是一羣的女性，
一羣執梃的女性。

最後的瞬間，
環顧圍繞著我的女性，
卻一個也不曾相識。——
哦，愛之女神呵！
給我掃盪惡魔的愛之女神呵！
我底過去，
果然從愛神底腕下得救了！
我底將來，
也畢竟從愛神底腕下得救了！

一九二三，五，三〇，在白馬湖。

〔144〕

霞底謳歌

霞是最値得謳歌的：
當朝暾將出以前，
她接受了光明底最先，
把最美麗的贈給我了；
當夕照旣沈以後，
她保留了光明底最後，
把最美麗的贈給我了。
霞是最値得謳歌的！

霞是最值得謳歌的：
舒卷著的，
她能對我低飛慢舞，
彷彿鬘娥底倩影；
烘暈著的，
她能對我薄羞淺笑，
彷彿稚女底憨態；
霞是最值得謳歌的！

*

霞是最值得謳歌的：
她是美和眞兼愛的藝術家，
能創造種種的畫幅，

〔146〕

給我以靈肉一致的慰安；
她是華和實並崇的科學家，
能分析種種的光波，
給我以色相都空的智慧：
霞是最值得謳歌的！

*

霞是最值得謳歌的：
燦燦爛爛的，
她底朝朝暮暮，
作我朝朝暮暮的伴侶；
變變幻幻的，
她底東東西西，

(147)

作我東東西西的樞機：
霞是最值得謳歌的。

一九二三，六，一，在白馬湖。

〔148〕

淚痕之羣

淚痕，
袖頭襟上，
有這許多，
爲甚麼不洗滌呢？——
啊，當初灑這些淚，
原是洗滌從前的斑斑點點的。

二

你給我吹散這些吧，
風啊！
雲霧塵沙，
她們隔離了我和日月。

〔150〕

三

春風，
也做起夢來了，
她在夢中溫存著我呢。

四

飛來了，
誰底歌聲，
鼓著電翼，
盤旋於我底兩耳？

五

兩心相印，
如果兩影相重似的，

人和人就容易互相了解了。

六

我安放在宇宙裏，
宇宙卻安放在哪里？

七

洞簫，
你有多少幽怨，
要吹簫人給你代吐？

八

我用了極精的顯微鏡，
也瞧不見我底年紀；
我也許是沒有年紀的吧！

〔152〕

九

春夢，
比雲還軟；
可惜在日出以前，
比露先消了！

十

詩人，
你與其鑄成傷心之錐，
何如鑄成照影之鏡！

十一

心頭的血，
眼角的淚，

筆端的墨，
揮成一片，
才寫得出滿腔孤憤！

十二

誰來窺視我呢？
小樓窗外，
只有青山。

十三

星何曾替得月呢？——
月墮星留，
比星月雙沈，
更難消受！

[154]

十四

當春風懺悔的時侯，
總扶不起樹底殘紅重上樹頭來！

十五

我勸梨花一杯洒，
你不買燕支，
何妨露醉紅呢？
但是梨花拒絕了！

十六

誰說一江春水只是向東流？
一日十二時中，
我明明見它兩度回頭。

十七

羞了嗎，
落日？
紅著臉兒，
躲向青山背後去了。

十八

我住在海市蜃樓中，
誰也不信；
我卻信誰也住在海市蜃樓中。

十九

等到知道懺悔時，
已經化作蛾了。

〔156〕

要知道吐絲作繭，
正是春蠶底生意。

二十

依然墮落了，
畢竟美人兒命如紙薄，
沒福分長受春風撞舉！

二十一

有許多淚是向外流的——
是快淚；
有許多淚是向
是痛淚。
快淚，

人生能得幾回流？
痛淚，
人生禁得幾回流？

二十二

是東風鼓舞著落花？
是落花絢爛了東風？——
沒有東風，
落花太沈靜了；
沒有落花，
東風也太平淡了！

二十三

未葉先花的，

〔158〕

是花底爭先呢？
是葉底躲懶？

二十四

敗星兒們遠了一點，
常常占領了地面之夜，
月兒也太自大了！

二十五

破曉了，
爲甚只聽得雄雞高叫，
雌的總不作聲呢？

二十六

要是我底腸子，

有之江那麼寬，
也無妨一日九迴了！

二十七

生命是一册厚薄無定的書，
幾時翻到最後的一葉，
誰也不知道吧！

二十八

冬底世界，
不曾和春訂出讓的契約，
春怎地突然遷來了？——
但當冬占領了秋底世界時，
又何曾有甚麼契約呢？

〔160〕

二十九

長虹，
我知道你是整個的圈兒；
爲甚麼吝嗇得很，
只將一半給人看？

三十

山林間，
松濤虎虎中，
一杵疏鐘，
陡然飛出；
教人心動？
還是教人心靜？

三十一

是替人垂淚的？
是引人垂淚的？——
詩人只寫出了自己，
何曾顧到這些？

三十二

櫻桃花下，
驀然記起，
十年前邂逅相逢。
也有這麽一瞬！

三十三

落花飛絮。

(16?

虧得是可憐的生命，
慣在詩篇畫幅中留些痕迹！

三十四

沸也似的蛙聲，
單調如此，
何曾是甚麼鼓吹？

三十五

中春之風輭輭，
落日之光淡淡。
誰最配消受這風光？——
燕翦。

三十六

當菜花披著黃袍，
稱霸於綠野時，
豆花不曾屈服，
依然黑白分明！

三十七

明明鏡在花前，
爲甚花又在鏡裏？
明明水在月下，
爲甚月又在水裏？
明明人在夢中，
爲甚我又在夢中人底夢裏？

(164)

三十八

自從遠行人能不翼而飛，
就使車輪生了四角，
也不中用了！

三十九

玫瑰，
你如果不露色香，
正不必學那荆棘！

四十

一盤螺旋形的香兒：
從近心處下火吧，
灰心太早；

從遠心處下火吧，
心也畢竟灰了：——
教我從哪頭兒點起呢？

四十一

怎禁得如此心焦？——
如其我是一枝蠟燭，
也許不但流淚吧！

四十二

看月長圓，
只是人們沒有這眼福罷了。
除非地影橫遮，
月何曾有不圓的時候？

(166)

四十三

誰解放黃金底奴隸呢？——
如果我有點金成石的指頭，
我願收拾起徧地黃金，
一齊還了它頑石底本來面目！

四十四

我雖然留戀那殘陽既墮以後的餘光，
我尤其歡迎這曙色將動以前的黑暗。
這黑暗原不是曙色底先驅，
卻正是曙色最後的勁敵。

四十五

從毀滅朽腐中，

潛伏著新生命，
正是嚴冬底作用。
憑你雪鎖冰封的懷抱，
也禁不起春雷一響！

四十六

窗閉的蜂兒，
何嘗不認識光明？——
但要從玻璃上求出路，
未免太不量力吧！

四十七

不能營獨立生活的藤花，
你雖然把可憐的生命，

〔168〕

點綴了你底寄主；
然而你底纏繞也太緊了，
大樹底負擔也太重了！

四十八

不妨的，
無路可走，
走就是了！
築成的砌成的是路，
踏成的也是路啊！

四十九

有限的幾顆明星：
其中的一顆，

不幸被流星撞破而毀滅了；
因而其餘的減少了吸力，
改變了軌道了；
只剩了倔強的一顆，
依舊向人們照著。——
唉，人羣底損失啊，
豈但星羣！

五十

被人們豢養的栽培的，
往往失掉了獨立生活的本能。
人類啊，
你有多麼不祥！

〔170〕

五十一

柳絲沒有雨絲，
織不就一幅春愁；
就替人惜別時，
也無淚可揮了！

五十二

不過是一種不通的假設罷了？
時間如果是空間底第四度，
我們何以不能作古代旅行？

五十三

地毬，
你底月兒，

(171)

不肯夜夜給你光明；
你何不土星似地長個光環，
沒間斷地照耀你自己？

五十四

果然日局是天河中一粒芥子，
我們倒也不失爲芥子船中的旅客。

五十五

除非倒搖著活動寫眞片，
無從見因果顚倒的奇蹟。
要夢游過去的黃金時代的，
乘著這電影去吧！

〔172〕

五十六

蜂蜂蝶蝶，
只向花心各取所需，
卻已經盲目地完成了自然底使命。

五十七

一縷游絲，
也是生命底一斷片。
花瓣兒呀，
它惹著你時，
別把它看作等閒呵！

五十八

月下的微波，

在輕風裏，
把碎金似的月光閃動著，
正像情人喁喁的輭語。

五十九

在都市的，
沒有接觸自然的機會；
在鄉村的，
沒有賞玩自然的智慧：
如許自然，
只偶然供一二會心人底領略，
也未免太浪費了！

〔174〕

六十

近山，
雖然秀色可餐，
總不如似有若無閒的遠山。
更耐人尋味！

六十一

夢中流淚，
醒後應該沒有啼痕，
如果夢中是別有眼根的。

六十二

一粒微塵中，
也許有微塵數的生命。——

回頭看這微塵似的世界，
我又何嘗不是微塵數裏一微塵！

六十三

在天空中，
作悠久的長途旅行；
星辰們．
你們底目的地何在呢？

六十四

如今的東風，
也讓桃李自由了；
有誰來屋角籬頭，
恰好相逢未嫁時？

(176)

六十五

築就了牢獄，
把思想監禁了，
但是她一瞬間就越獄而突飛了。
掘好了墳塚，
把思想埋葬了，
但是她一瞬間就破塚而再生了。

六十六

在四圍山色中，
終日和青山對坐：
我看青山，
不知青山看我也不否？

〔177〕

我看不厭青山，
不知青山厭我也不厭？

六十七

明知太陽要出來了，
晨光將來接吻於眼簾了，——
『擁著重衾再睡一回吧』！
溫柔的黑暗之魔，
也許還在夢中誘惑人們，
教人們留戀著她呢！

六十八

從瘦牛背上，
看了縷縷的鞭痕，

喫慣了的一日三餐，
已經不容易下咽了。
何況看了農夫額上的汗，
身上的瘢，
手脚上的繭？

六十九

明月是擅長游泳的名家：
不論湖海江河，
溝池溪澗，
常常化身萬億，
到處去逢場作戲。
但當她倦了的時候，

〔179〕

卻隔著紗也似的霧帳，
擁著絮也似的雲衾，
朦朦朧朧地睡去了。

七十

就是南北兩極下那麼的長夜，
也還有得到點可憐的光明的時候；
爲甚麼我夢中的夜裏不然呢？
難道日月都在黑海中淹死了嗎？
還是長期地被薄蝕著呢？

七十一

從懺悔之井裏汲取的淚泉，
何曾洗得去罪惡底瘢痕？

〔180〕

但至善之靈苗，
卻從灌溉中滋長了。

七十二

當村裏的犬，
見衣冠濟楚的城裏人而不吠時，
鄉村底混沌，
已經七竅齊鑿而死了。

七十三

趁相思微微地睡去的時候，
把她絞死了，
深深地埋在九幽之下；
但當春信重來的夜裏，

(181)

她又從紅豆枝頭復活了。

七十四

竹儘管是虛心的，
依然非常地倔強，
而且富於反抗的彈性呢！

七十五

從我心裏跳躍而出的是詩，
從我詩裏跳躍而出的是生命，。
從我生命裏跳躍而出的是心。
我底詩，
通過了我底心和我底生命。

〔182〕

七十六

一樹不曾相識的桃花，
因爲東風底招致，
把我介紹於她底面前了。
不知東風是邀我看桃花？
還是也讓桃花看我？

七十七

不曾出山，
已經濁了；
不幸的泉水，
你受了在山者底汚嗎？——
『不，

這是入山者面上塵沙，
　脚跟糞土』。

七十八

蜻蜓，
你用這可憐的薄翼，
支持著你底生命，
不嫌孱弱嗎？——
但是你也許用你底生命，
支持著可憐的薄翼呵！

七十九

由蠶而蛹而蛾，
是肉體底過去現在未來。

〔184〕

三世因果，
也不妨作如是觀！

八十

萬花筒裏，
何嘗沒有相重的花樣？——
但相重的也不過花樣罷了。

八十一

爲甚麼喜心翻倒以後，
還有無數的淚珠呢？——
這都從過去的痛苦辛酸中迸出的。
是千磨百折的迴潮呵！

八十二

感著電流的，
覺得不可抗；
感著戀愛的，
也覺得不可抗。
電流呵，
戀愛呵，
都是自然最強的驅使呵。
究竟是一呢？是二？

八十三

隔年的燒痕還在哩，
離離的青草，

[186]

早從黃黑中重長了。——
春風很得意地吹著，
似乎笑放火人多事！

八十四

鸕鷀，
你捉了多多少少的魚兒，
能有幾條下咽呢？

八十五

自從不仁的地毯，
吞咽了我底慈愛的母親，
就沒有人撫慰我了！
咳，天使似的母親底愛，

畢竟超乎一切呵！

八十六

酒如果澆得平磊塊，
世間有酒，
人們胸中的磊塊，
就應該和它不並立了！

八十七

就用精鐵闌干，
也隔不開戀愛；
除非只是第一帝國中人。

八十八

百年以上的老樹，

(188)

你閱歷深了，
難怪你憂鬱地沈默著呵！

八十九

明鏡在前，
何嘗能認識自己？——
鏡中的我，
明明是幻覺哪！

九十

不然吧！
如果我們從字典上塗抹了寫出愛的符號，
而且從聲帶上鎖閉了說明愛的機關，
人世間從此就沒有愛了嗎？

九十一

有些人畢生不曾流過淚，
似乎是幸福了。——
幸福嗎？
也許是麻木吧！

九十二

沒有再比這事可咒詛的了，
汚損或毀滅他人底藝術品；
因爲這無異第二生命底傷殘呵！

九十三

微雲，
誰向遙空抹這一筆呢？

〔190〕

九十四

人在花裏，
花在風裏，
風卻在人心裏。

九十五

失掉了我以外的
由我去找；
失掉了我，
由誰去找呢？

九十六

面上，
已經不平如此，

何況心頭？

九十七

在錐頭上求立足地，
也畢竟有站穩的時候呵。

九十八

鏡子能照見一切，
何以獨漏了自己？

九十九

和誰開戰呢，
撒了如許雹子？——
不過損害了些春底創作罷了！

一百

春來依舊綠了，
空心的樹啊，
你大約不知道有人生憂患吧！

一百一

爲戀愛而流，
爲相思而流的淚，
比明珠還貴重！

一百二

這才是好詩哪！
詩人，
你能使人再讀，

你能使人不忍再讀，
你能使人不肯不再讀嗎？

一百三

故鄉，
可戀嗎？
爲甚我只覺得她可厭呢？

一百四

燕子，
如果不爲雛燕，
你也未必營這新巢吧！

一百五

依稀還在耳呢，

〔194〕

潮聲。
被驚醒的人們，
早重新入夢了，
雖然惺忪的還有幾個。

一百六

花呀，
你謝了，
春風也去了。
還是春風送你，
你送春風？

一百七

戀愛底本能，

潛伏在中國人心裏，
還是未開的鑛；
不過發見了些鑛苗罷了！

一百八

塡海的精衞呵，
海就算被你塡滿了，
大陸不又變成了海嗎？

一百九

不嫌狂妄嗎，
芭蕉？
你明明是弱草呵，
也要模仿大樹！

〔196〕

一百十

不禁熱的炭呵！
熱透了，
心也灰了！

一百十一

怪道西湖也添了一痕春漲了，
這是我昨夜獨揮的淚吧！——
不信呵，
有一彎新月幾顆疏星作證呢。

一百十二

怎算得完全的生命呢，
如果人生沒有戀愛？

一百十三

有如許荊棘蒺藜，
　邱陵坑坎，
上帝底創作，
總算很不平凡了！

一百十四

別打結呵，
人們！
誰不知道解結難於打結呢？

一百十五

爲甚麽一模一樣呢？——
原來是一個模型中鑄成的呵，

〔198〕

這些黃金胎裏的產兒！

一百十六

算你勇敢吧，
撲火的飛蛾！
你怎地不向太陽猛撲呢？

一百十七

虎變了貓，
狼變了犬，
你們眞是虎狼底不肖子孫呵！

一百十八

眼中的世界，
本來都是前塵；

戴色眼鏡的，
笑他做甚？

一百十九

在醒著的時候，
也會遇著美妙的夢境的，
正不必說甚麼「人生似夢」。

一百二十

相映著的，
江上芙蓉，
天半朱霞。
芙蓉似朱霞呢？
是朱霞似芙蓉？

〔200〕

一百二十一

淚珠洗面的生活，
是別離中的日課。

一百二十二

夜雨，
你似乎打算給我洗盡春愁。
但是相思種子，
怎又從雨裏長新苗呢？

一百二十三

遠遠的犬吠聲，
許是夜半人歸的豫報吧。
誰料只驚破了燈前短夢！

一百二十四

當地毬不見月的時候，
也難免這樣孤寂吧，
——獨坐的我似的！

一百二十五

這樣的冰雪，
那樣的風霜，
怎樣禁得起呵，
到處都是冷酷！——
毫不費力地躺下，
躲向溫柔的夢裏去吧！

一百二十六

〔202〕

是恆轉如瀑流呢？
是遞傳如火種呢？
生命之謎呵！

一百二十七

能洗淨惡濁的世界，
能補完破碎的人生的，
只有如潮的熱血吧！

一百二十八

記得昨夜星辰，
並非如此。——
哦，
今兒有月呵！

一百二十九

我願我底眼睛瞎了，
保全世界底清淨。

一百三十

花就是重開了，
總不是原來的花呵！

一百三十一

我底夢，
從微笑裏醒呢？
從慟哭裏醒呢？——
淚浸透了我底夢了，
還是從慟哭裏醒吧！

(204)

一百三十二

我在黑暗世界裏，
只有這一盞孤燈；
如果被吹滅了，
待怎樣呢？

一百三十三

過去的防禦線，
只是保護過去的；
未來的，
該重新築起呵！

一百三十四

淹得死人的，

戀愛底波瀾，
是再險惡沒有的了！

一百三十五

三年前嘔出的斗血，
彷彿還在那兒怨我底決絕；
但這是你棄我而去呵！

一百三十六

愛高一度，
妒高一度。
測愛情的熱度表是甚麼？——
嫉妒。

一百三十七

〔206〕

菩薩爲衆生病，
我爲誰病呢？

一百三十八

愛底缺陷，
果能月也似地重圓嗎？——
除非生命中靈光底互照。

一百三十九

『宇宙是一首大詩』，
詩卻是人生中的宇宙。

一百四十

戀愛是創造的，
不是佔據的。

但是各自創造，
只能各自賞鑒，
所以戀人是只能獨有的藝術品。

一百四十一

淚只是悲底發揮；
憤燄中燒時，
還有淚嗎？
燒乾了！

一九二二，五，七，在杭州寫畢。

花間的露珠之羣

一

花間的露珠，
到底儌倖呵！
分了些花粉底芬芳，
聽東風底分付，
滴滴地從詩人底心頭，
滴到詩人底腕底。

二

不幸富貴了，
就不配在山林間生活了；
牡丹呵，
貧賤的姊妹們在笑你呢！

〔210〕

三

西湖，
你勾引了無數游人，
卻給了他們些甚麼？

四

索性魂銷了，
倒也沒甚麼離情別緒了！

五

蝴蝶，
你如果殉花而死，
我一定用無數落花，
給你堆成墳塚。

[211]

六

無情呵，
又載去了多少離人！
遙遙的一聲汽笛，
代送別者哀鳴嗎？——
是你勝利的長嘯吧！

七

爲甚不獨立營巢，
儘管向人檐下住呢，
燕子？

八

陷阱裏的人們。

(212)

誰掘這陷阱給你們掉呵？——
是你們底祖先，——，
也許就是你們自己。

九

沈睡的大地呵！
怎地我們找不出一線光明來呢？
在你底身上？——
從鄰近的行星上看來，
此時你也許是一顆明星呢！

十

當我發願洗淨這齷齪世界時，
我便謳歌洪水了；

當我發願殲滅這墮落人類時，
我便謳歌猛獸了。
洪水，猛獸，
果眞只是可呪詛的東西嗎？

十一

誰說相思是苦的呵？——
比蜜還甜吧，
有這許多嘗不厭相思滋味的人們！

十二

也許是春錯了吧，
明明春盡了，
薔薇還對著我笑呢！

〔214〕

一九二二，五，七，在杭州。

流螢之羣

一

流螢，
一閃一閃的。
雖然只是微光，
也未始不是摸索暗中的一助，
如果在黑夜長途旅客底眼中。

二

看徧人間趣劇了嗎，
青蛙，
如此不絕地狂笑？

三

許是有意的吧，

〔218〕

避人的明月，
招來幾疊浮雲，
把羞顏掩住了！

四

吼也似的中夜風聲，
寂靜的心湖裏，
也被捲起了許多逆浪！

五

星兒們，
何不走近一點來呢？
聽說你們都是有絕大光明的。

六

如果站在地軸上，
打個迴旋，
也不消自動了。

七

有無數的山，
在那里表現不平，
也就夠了；
多事的風，
偏教水也和山爭起不平來！

八

吸人膏血的蚊子，

與其說是無情的刺客，
不如看作不仁的富人。

九

終有這一天吧，
不願再浪費光明；
太陽，
我想你終有不再照地毯的這一天吧！
有這許多不愛見光明的人們，
有這許多愛在光明下面沈睡的人們！

十

我在春底懷裏睡慣了，
春也在我底懷裏睡慣了。

夢兒沒來由地裏住了我，
生生地把我和春隔離了。
春呵，
你也許我也似地悲哀吧！

一九二二，五，三〇，在白馬湖。

民國十八年九月初版

實價七角

再造

著作者　劉大白

印刷者　美成印刷所

發行者　開明書店

總發行所　上海四馬路望平街　開明書店